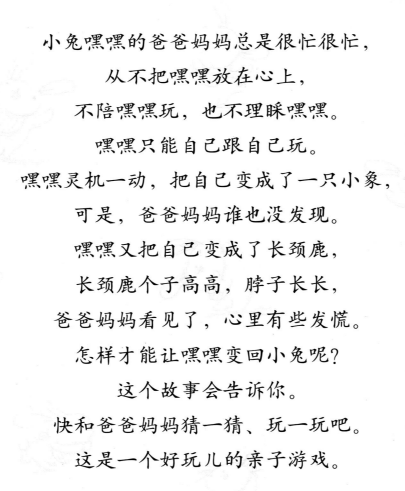

小兔嘿嘿的爸爸妈妈总是很忙很忙，

从不把嘿嘿放在心上，

不陪嘿嘿玩，也不理睬嘿嘿。

嘿嘿只能自己跟自己玩。

嘿嘿灵机一动，把自己变成了一只小象，

可是，爸爸妈妈谁也没发现。

嘿嘿又把自己变成了长颈鹿，

长颈鹿个子高高，脖子长长，

爸爸妈妈看见了，心里有些发慌。

怎样才能让嘿嘿变回小兔呢?

这个故事会告诉你。

快和爸爸妈妈猜一猜、玩一玩吧。

这是一个好玩儿的亲子游戏。

——金　波

京权图字：01－2009－2706

图书在版编目(CIP)数据

看我！看我！／崔永嬿著 .—— 北京：外语教学与研究出版社，2009.6
（聪明豆绘本系列. 第 4 辑）
ISBN 978－7－5600－8635－4

Ⅰ．看… Ⅱ．崔… Ⅲ．图画故事—中国—当代 Ⅳ．I287.8

中国版本图书馆 CIP 数据核字（2009）第 089511 号

你有你"优"——点击你的外语学习方案
www.2u4u.com.cn
阅读、视听、测试、交流
购书享积分，积分换好书

出 版 人：于春迟
责任编辑：李文潇
封面设计：许　岚
出版发行：外语教学与研究出版社
社　　址：北京市西三环北路 19 号（100089）
网　　址：http://www.fltrp.com
印　　刷：北京尚唐印刷包装有限公司
开　　本：889×1194　1/16
印　　张：2.25
版　　次：2009 年 6 月第 1 版　2009 年 6 月第 1 次印刷
书　　号：ISBN 978－7－5600－8635－4
定　　价：14.90 元

* * *

聪明豆绘本系列

看我！看我！

崔永嬿 文/图　　金波 审读

外语教学与研究出版社
北京

嘿嘿的爸爸妈妈都很忙，所以当嘿嘿决
定要变成小象时，他们都没发现。

　　嘿嘿把胳膊伸出来当象鼻子，就把自己
变成了一只小象。

3

变成小象的嘿嘿可以……

自己和自己玩游戏，

4

自己喂自己吃饭，　　　　　　　　　　　还可以给自己一个好大的亲亲！

5

第二天，嘿嘿不想再当小象了，
一个人玩好无聊！
那么，要当什么好呢？

嘿嘿把头抬得高高的，跑去找爸爸。
"爸爸！爸爸！看我！看我！"
可是爸爸在忙。

于是，嘿嘿跑去找妈妈。
他把头抬得高高的，叫着：
"妈妈！妈妈！看我！看我！"
可是妈妈也在忙。

11

嘿嘿一直把头抬得高高的，可是直到吃晚饭的时候，爸爸妈妈才注意到他。

爸爸说："你把头抬得这么高，怎么吃饭呢？"

妈妈说："是不是脖子痛？扭着了吗？"

"不是！"嘿嘿很生气。他**大叫**：

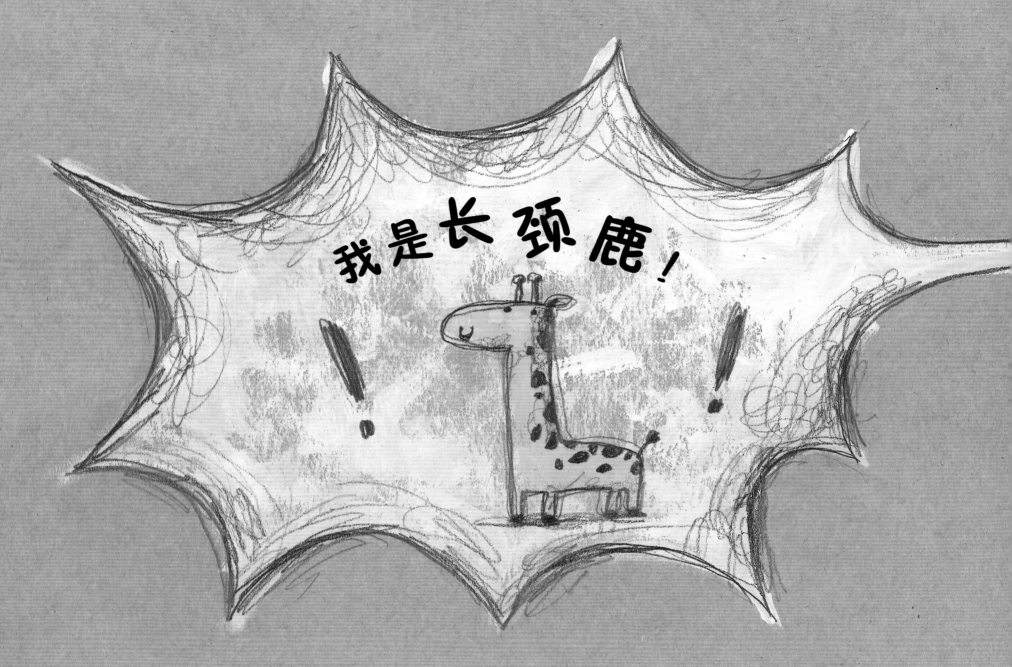

"哎呀呀！那可不得了！"妈妈说。

"要怎么做，才能让小长颈鹿变回我们的宝贝儿嘿嘿呢？"爸爸问。

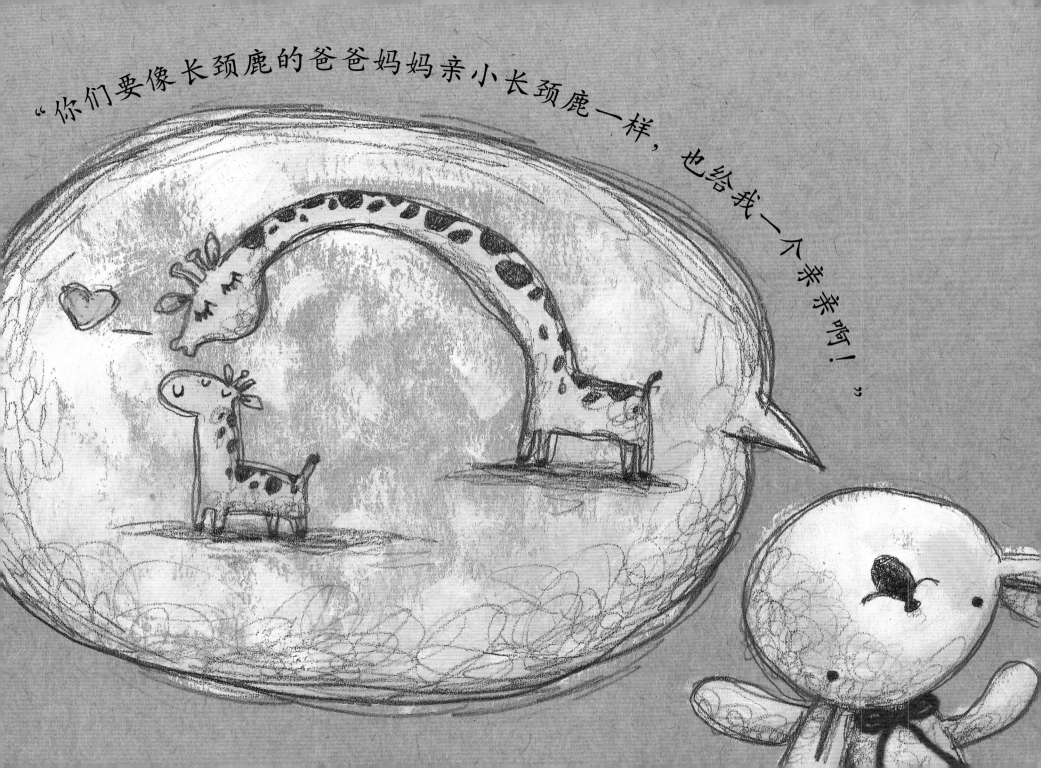

于是，爸爸给嘿嘿一个好大的亲亲。

妈妈也给嘿嘿一个好大的亲亲。

后来，只要嘿嘿变成长颈鹿，爸爸妈妈都知道该怎么让他变回来。

他们甚至也学会了"变身"的方法……

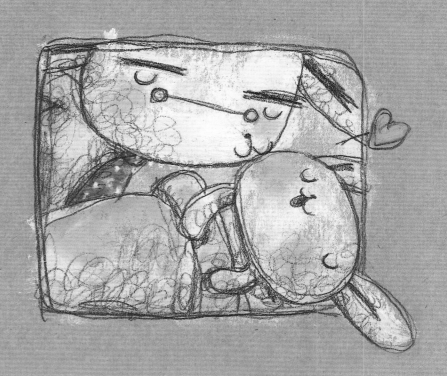

一天，嘿嘿经过厨房时，妈妈突然张开双臂，叫道："看我！看我！"

我是长臂猿！

妈妈紧紧地抱住
她最亲爱的嘿嘿，说：

变成长臂猿的妈妈跟嘿嘿
一起发明了好多游戏——

长臂猿单杠、

长臂猿抱抱、

长臂猿模仿大赛……

傍晚，当嘿嘿又在想怎么"变身"的时候，爸爸走了过来。
他手舞足蹈地对嘿嘿说："看我！看我！"

哇，爸爸变成老虎了！

"要怎样才能让爸爸变回来呢？"
嘿嘿假装很害怕，蹦蹦跳跳地往前跑。

"要是你肯乖乖洗澡的话……" 妈妈笑着对嘿嘿说。

再忙，也要和孩子亲亲抱抱

——王蕙瑄（台湾台东大学儿童文学研究所博士生）

　　现代社会的节奏越来越快，虽然家里的孩子通常只有一个，但父母还是没有足够的时间和精力关注孩子。故事中，不被父母注意的小兔子嘿嘿正是一个现代社会里寂寞的孩子，他只能自己扮演各种角色，自己陪自己玩。他大声对爸爸妈妈说："看我！看我！"可爸爸妈妈谁也不去注意他。

　　作者为了表现想象与现实的"进"与"出"，细心绘制了舞台般的框线。舞台上，当小兔子嘿嘿运用想象力变身为大象的时候，舞台另一头，爸爸妈妈正在做自己的事情。所以，小兔子嘿嘿在舞台上一面做现实中的事情（玩游戏、吃饭），一面尽责地扮演幻想中的大象角色。大象虽然可以用鼻子自己给自己一个亲亲，可是，孩子的内心实际上是非常落寞的，他多么希望爸爸妈妈能给自己一个亲亲啊。

　　所以，到了第二天，小兔子嘿嘿走上舞台的时候，他换了一个新角色。观众不知道嘿嘿在扮演什么，现实生活中，爸爸和妈妈还是很忙，没空了解嘿嘿的游戏。直到晚餐时间，爸爸妈妈才注意到嘿嘿的异样，原来，一直仰着脖子的嘿嘿，是在扮演长颈鹿！

　　总是为工作而忙碌的爸爸妈妈，如果看到孩子在饭桌上无理取闹，很可能会大声责骂孩子一番，让整件事以孩子的委屈哭泣收场吧？还好，嘿嘿的爸爸妈妈很善解人意，他们接受了嘿嘿的游戏舞台，愿意陪他一起玩。嘿嘿也教爸爸妈妈："你们要像长颈鹿的爸爸妈妈亲小长颈鹿一样，也给我一个亲亲啊！"

　　第七页、第八页的晚餐是一个转折点。爸爸妈妈放弃了父母的权威，配合了孩子的游戏。父母和孩子的良好互动由此开始了。其实，孩子的心思很单纯，他的世界里最重要的就是亲爱的爸爸妈妈。当爸爸妈妈无法陪伴他的时候，他只能沉浸在自己的想象世界里。如果你没有时间与精力像嘿嘿的爸爸妈妈那样也玩角色扮演的游戏，那么不妨沉淀一下成人的功利心，听听孩子的声音，当他说"看我！看我！"的时候，转过头去仔细看看他，并且高兴地抱抱他、亲亲他吧！

　　别忘了，亲吻与拥抱不仅仅是爱情的专利，更不只是一些国家的见面礼仪，而是人与人之间最原始、最诚挚的情感表达。面对孩子时，千万别吝啬这种传达情感的小动作啊！

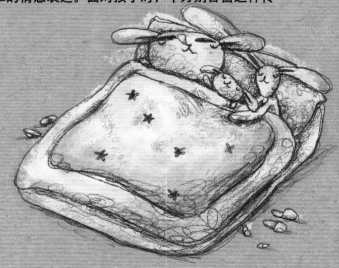